CB124292

Ioga

NO TRABALHO

MUNDO DOS LIVROS
"O seu ambiente literário!..."
CAMPINA GRANDE - PB

Ioga

NO TRABALHO

DARRIN ZEER

SEXTANTE

Copyright © 2002 por Darrin Zeer
Copyright das ilustrações © 2002 por Michael Klein
Título da edição original em inglês: *Office yoga*
Publicado originalmente por Chronicle Books, San Francisco, Califórnia

Tradução
Lúcia Cláudia Leão
Preparo de originais
Regina da Veiga Pereira
Revisão
Sérgio Bellinello Soares
Capa
Raul Fernandes
Projeto Gráfico e Diagramação
Márcia Raed
Fotolitos
Mergulhar Serviços Editoriais Ltda.
Impressão e acabamento
Yangraf Gráfica e Editora Ltda.

Miolo impresso em Chamois Bulk Dunas 90g/m²

CIP-BRASIL. CATALOGAÇÃO-NA-FONTE
SINDICATO NACIONAL DOS EDITORES DE LIVROS, RJ.

Z48i Zeer, Darrin
Ioga no trabalho : exercícios simples e prazerosos para energizar seu dia
/ de Darrin Zeer ; ilustrações de Michael Klein ; tradução de Lúcia Cláudia Leão. – Rio de Janeiro : Sextante, 2002
il. ;

Tradução de: Office yoga
inclui bibliografia
ISBN 85-7542-009-7

1. Hatha ioga 2. Exercícios de alongamento.
3. Administração do estresse. 4. Cuidados pessoais com a saúde
I. Título.

02-0151. CDD 613.7046
CDU 613.71

Todos os direitos reservados, no Brasil, por
Editora Sextante (GMT Editores Ltda.)
Rua Voluntários da Pátria, 45 – Gr. 1404 – Botafogo
22270-000 – Rio de Janeiro – RJ
Tel.: (21) 2286-9944 – Fax: (21) 2286-9244
Central de Atendimento: 0800-22-6306
E-mail: atendimento@esextante.com.br
www.esextante.com.br

ESTE LIVRO É DEDICADO A TODOS VOCÊS.

Que ele inspire você a

cuidar de si mesmo

no trabalho e ao longo do dia.

Índice

PÁGINA

Guia de Ajuda Rápida

Introdução

Uma reunião interminável prendeu você até tarde no escritório. Suas costas e pescoço reclamam, seu cérebro já virou geléia. Chega em casa no auge do estresse e exaustão, não consegue nem conversar e só quer saber de comer uma pizza e ver um pouco de televisão antes de dormir... para acordar e fazer tudo igual no dia seguinte.

Como encontrar alívio para essa situação?

Vamos encarar os fatos: se eu sugerir exercícios que não sejam simples e fáceis, a maioria de vocês acaba não fazendo nada. Até eu. Se não pudermos encaixar os exercícios na nossa rotina diária, não conseguiremos nunca manter uma regularidade.

Experimentem alguns dos alongamentos de ioga deste livro. Foram criados para ser feitos em qualquer lugar, a qualquer momento: no escritório, durante reuniões, falando ao telefone ou até mesmo na cama. Esses alongamentos são suaves e relaxantes. Acalmam os músculos doloridos e diminuem a tensão. Basta vocês terem vinte minutos disponíveis no horário de almoço ou mesmo no intervalo entre dois telefonemas.

A filosofia e a prática da ioga vêm da Índia. Ioga significa basicamente união: a reunião dos nossos aspectos físicos, emocionais e espirituais.

Ioga não é apenas o bem-estar do corpo, é um caminho em direção a um sentido de vida mais profundo.

No antigo idioma sânscrito, os alongamentos ou posturas de ioga são chamados de *asanas*, o que significa sentar-se ou manter-se em uma posição específica silenciosamente. Diz-se que os *asanas* trazem serenidade, estabilidade, tranqüilidade e felicidade.

Os *asanas* da ioga podem ajudar-nos em vários níveis. Eles nos fortalecerão fisicamente, atuando em vários sistemas do corpo, como o digestivo e o imunológico, e dando à mente condições para manter-se calma, alerta e capaz de concentração. Depois que começarem a fazer os *asanas* regularmente durante o dia, vocês ficarão surpresos ao ver como esses alongamentos simples são realmente poderosos.

Este livro integra essa sabedoria antiga ao ambiente de trabalho moderno. Os alongamentos de ioga podem ser feitos naturalmente em qualquer escritório e são um oásis de tranqüilidade em um dia cheio, mantendo sua saúde física e restaurando sua vitalidade.

Dêem a vocês mesmos a chance de experimentá-los. Tenham o livro ao seu lado no escritório. Abram ao acaso, façam os exercícios que mais lhes agradarem. Vocês verão como, aos poucos, eles se tornarão um hábito agradável, pelos benefícios que trazem. Se alguém tiver um problema específico, consulte o Guia de Ajuda Rápida na página 7 para ver os exercícios mais adequados ao caso. Aproveitem a enorme sensação de bem-estar que irão conquistar.

Vocês vão me agradecer.

Cinco dicas essenciais para respiração e alongamento

1. A dica mais importante: não prenda a respiração quando fizer o alongamento. Respire profundamente e bem devagar, seguindo o ritmo dos seus movimentos.

2. Concentre-se em relaxar o corpo todo enquanto estiver fazendo os alongamentos. Preste atenção às áreas que continuam tensas.

3. Se quiser aprofundar o alongamento, respire e relaxe o mais que puder. Não force seu corpo.

4. Se sentir dor durante um alongamento, pare imediatamente. Lembre-se sempre: se dói, faz mal.

5. Está com pressa? Faça com calma dois alongamentos completos em vez de fazer vários correndo.

PARTE 1

Exercícios para a hora de LevantaR

Despertando para a Vida

Assim que acordar, pratique essa meditação relaxante que dura apenas dois minutos.

Sente-se na cama e respire suavemente sentindo o ar ir até a barriga.

Sinta o corpo e a mente relaxando.

Acompanhe o ritmo da sua respiração.

Pense nas coisas boas que tem e agradeça.

Respire profundamente.

"Quanto mais silenciosos ficarmos, mais seremos capazes de ouvir."

Baba Ram Dass

Ioga na cama

Desperte com esses alongamentos delicados. Lembre-se de fazê-los lentamente, respirando fundo e relaxando.

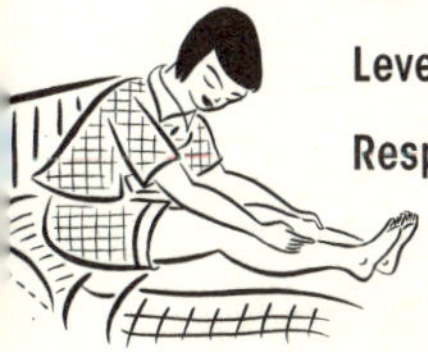

Deite-se de costas na cama.

Leve os dois joelhos até o peito e abrace-os.

Respire suavemente, sem barulho, inspirando pelo nariz e levando o ar até a barriga. Sinta a região lombar relaxar.

Leve os dois joelhos para um lado, mantendo os ombros retos e encostados na cama. Relaxe no alongamento.

Traga delicadamente as pernas de volta à posição original e faça o mesmo movimento para o outro lado. Volte à posição inicial.

Na posição sentada, incline o tronco para frente sobre as pernas, alongando a parte superior do corpo (figura).

Segure suas pernas sem forçá-las.

Relaxe os ombros e deixe a cabeça ir para a frente.

Respire profundamente várias vezes, alongando um pouco mais de cada vez. Não force o corpo.

Para aprofundar o alongamento, passe um cinto ou uma toalha em torno dos pés, segure as duas pontas e alongue suavemente o corpo para a frente.

Saudando o sol

1.

Essas suaves posturas de ioga ajudam o corpo todo a acordar. Faça o primeiro grupo de exercícios bem devagar e com tranqüilidade. Se sentir alguma tonteira, deite-se de costas e descanse. O ritmo de sua respiração deverá ficar semelhante ao do vaivém das ondas do mar enquanto você fizer os exercícios.

Comece colocando as mãos na posição de oração e inspire profundamente (figura 1).
Levante os braços, estenda as mãos para cima e alongue, curvando o corpo ligeiramente para trás. Expire e vá levando lentamente os braços para o chão, a cabeça caindo para a frente e o tronco se dobrando até tocar o chão com as pontas dos dedos, se puder (figura 2).
Relaxe a cabeça e o pescoço e respire algumas vezes.
Depois, fique de quatro, coloque as mãos abertas sobre o chão, estenda a perna esquerda para trás e alongue o corpo todo, arqueando as costas para cima (figura 3).
Repita o exercício com a perna direita.
Agora apóie os dois joelhos no chão, colocando o corpo em posição semelhante à de uma mesa. Estenda primeiro a cabeça para cima e curve a região lombar para baixo (figura 4), depois deixe sua cabeça tombar e arqueie as costas para cima (figura 5). Repita o exercício mais uma vez, respirando ritmadamente.

3.

5.

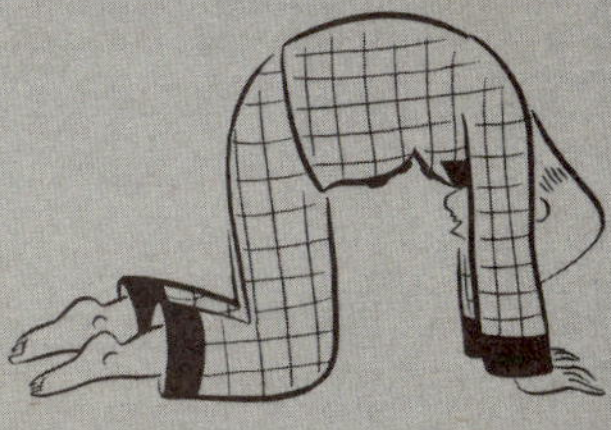

6.

Com as mãos e solas dos pés no chão, levante os glúteos mantendo os braços e as pernas retos (figura 6). Fiques nessa posição enquanto se sentir confortável. Depois, deixe cair o corpo sobre o chão, sustentando-o nas mãos e joelhos. Sente-se, apoiando o corpo sobre a barriga das pernas e leve o tronco em direção ao chão com os braços estendidos no chão (figura 7). Relaxe, inspire e expire algumas vezes.
Volte a ficar de pé, estenda os braços para cima e alongue as costas ligeiramente, contraindo os glúteos (figura 8). Expire ao colocar as mãos novamente na posição de oração e relaxe.

Descanse durante alguns minutos, respirando profundamente, depois repita o exercício quantas vezes desejar de acordo com o tempo que tiver disponível.

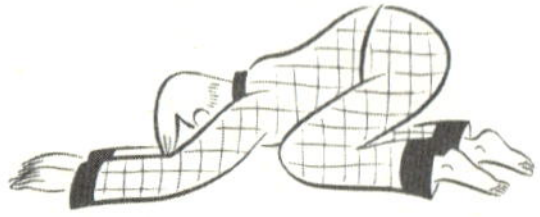

7.

Correr relaxando

Se você gosta de correr de manhã (ou em qualquer outro horário), lembre-se de relaxar enquanto se exercita. Mantenha as costas eretas e os braços e ombros soltos. Sacuda as mãos e sinta o peito subindo e descendo enquanto respira profundamente.

"Em todas as coisas há beleza, mas nem todos a vêem."

Confúcio

Vitamina energizante para o café da manhã

Alimente seu corpo e sua mente em apenas um minuto. Misture em um liquidificador:

- leite de soja ou desnatado
- frutas de sua preferência
- farelo de aveia
- um pouco de mel
- o que sua imaginação mandar – exerça sua criatividade!

Com essa vitamina, qualquer pessoa está preparada para enfrentar o dia.

Nos sinais de trânsito

Esses exercícios também funcionam em aviões e trens.

Relaxe o corpo no assento e gire lentamente a cabeça para um lado e para o outro.

Levante os ombros em direção às orelhas enquanto inspira e leve-os para baixo enquanto expira.

Procure manter a serenidade nos engarrafamentos de trânsito.

Antídoto contra o estresse no trânsito

Os engarrafamentos enlouquecem você? Causam uma enorme irritação? Vamos dar um jeito nisso. Não se deixe maltratar pelo estresse e exasperação. Já basta o desconforto do trânsito!

Relaxe o corpo e respire suave e profundamente algumas vezes, levando o ar até o abdome. Tenha sempre no carro uma pequena coleção de CDs. Cante junto, solte o som. Música suave ou textos inspiradores são uma grande ajuda nesses momentos. Ou quem sabe você aproveita para fazer um curso de uma língua que queira aprender?

"Antes tarde do que nunca."

Titus Livius

PARTE 2

relaxamento no Escritório

Postura de ioga no escritório

Você quer diminuir as dores nas costas, melhorar seu estado de espírito e ter mais energia? Uma boa postura é o melhor começo. Durante o dia, ou quando estiver se preparando para fazer alongamentos, dedique alguns minutos para observar seu corpo e alinhá-lo da forma certa. Como é que ele está agora?

O mais importante é sentar apoiando-se nos ísquios. Para achar esses ossos pontudos, coloque as mãos sob os glúteos e balance-se para frente e para trás.

Observe como seu corpo se alinha em cima de seus ísquios quando você se move para a frente. Suas costas ficam imediatamente retas, seu peito se abre, seus ombros relaxam, pescoço e cabeça se elevam e se alinham.

Agora sente-se sobre o cóccix – tudo afunda e cai, incluindo seu humor!

Mova-se para a frente novamente. Sinta sua coluna se levantar em uma linha ereta até sua cabeça.

Solte os ombros, depois a mandíbula, deixe cair o queixo e respire calmamente algumas vezes.

Sentiu a diferença? Essa simples mudança de postura melhora não só seu bem-estar físico como aumenta sua confiança. Você se torna uma pessoa muito mais centrada.

Preparando-se para enfrentar o teclado

Faça alongamentos com as mãos e os punhos sempre que puder. Improvise, use a criatividade!

Coloque as mãos na posição de oração, mexa-as em todas as direções e alongue para um lado e para o outro.

Feche e aperte bem os punhos.

Alongue os dedos, mantendo-os bem abertos.

Entrelace os dedos e gire as mãos.

Invente alongamentos que produzam uma sensação boa.

Transforme esses exercícios em um hábito. Alongue freqüentemente as mãos e os punhos.

"O senso comum não é tão comum assim."

Voltaire

NA CADEIRA:

Girando o pescoço

Deixe a cabeça tombar para um lado.

Gire a cabeça fazendo um círculo bem amplo. Gire para o outro lado.

Descubra aos poucos quais são os pontos de tensão.

Inspire e expire, deixando a respiração aliviar a tensão.

Alongamento extra: coloque a mão sobre a cabeça e empurre-a suavemente para um lado e depois para o outro.

NA CADEIRA:

Alongando os braços

Coloque o braço esquerdo atrás das costas.

Segure o punho com a sua mão direita.

Deixe a cabeça tombar para o lado direito.

Volte à posição inicial.

Gire a cabeça levemente e explore os pontos de tensão.

Alongue e respire.

Repita o mesmo procedimento com o braço direito.

Dobre o braço esquerdo atrás da cabeça, como se fosse coçar as costas.

Pegue seu cotovelo com a mão direita e alongue (figura).

Volte à posição inicial.

Respire e deixe os ombros relaxarem.

Repita o procedimento com o braço direito.

NA CADEIRA:

Postura relaxada

Coloque as mãos atrás da cabeça e entrelace os dedos (figura).

Relaxe os cotovelos e os ombros.

Sorria, respire e leve os cotovelos para trás.

Deixe a tensão sair de seu corpo enquanto respira.

Repita este exercício ao longo do dia.

"Deixe que a beleza do que você ama se revele naquilo que você faz."

Rumi

NA CADEIRA:

Cesta de basquete

Levante os braços e alongue-os sobre a cabeça.

Entrelace seus dedos (figura).

Vire as palmas para baixo e para cima, alternando as direções.

Alongue e respire.

Alongue os braços para a frente, mantendo os ombros relaxados.

NA CADEIRA:

Esticando as mãos

Primeiro alongamento:

Abra os braços e alongue-os para os lados, como se quisesse alcançar as paredes com os dedos (figura 1).

Respire e relaxe.

Segundo alongamento:

Braços abertos, ombros relaxados, palmas voltadas para baixo.

Incline as mãos para cima, alongando os antebraços.

Mantenha-se nessa posição enquanto se sentir confortável.

Alongue as mãos para baixo, respire e mantenha-se nessa posição.

Terceiro alongamento:

Braços abertos para os lados.

Incline-se lentamente para o lado, como um moinho de vento.

Alongue um dos braços para o chão e o outro para o teto (figura 2).

Alongue gentilmente a área da cintura.

"Aprendizagem é movimento a cada instante."

Krishnamurti

1.

2.

NA CADEIRA:

Meditação internáutica

Quando estiver lendo seus *e-mails*, lembre-se de respirar lentamente, concentrando a atenção na sua respiração. Respire de modo que a expiração dure o dobro da inspiração. O efeito calmante deste exercício é imediato.

"Palavras generosas podem ser curtas e fáceis de proferir, mas seus ecos são verdadeiramente infinitos."

Madre Teresa

NA CADEIRA:

Alongamento de peito aberto

Sente-se na beira da cadeira.

Segure os lados da cadeira.

Alongue suavemente para cima e para a frente, mantendo a parte baixa das costas relaxada.

Abra o peito e leve a cabeça para trás.

Relaxe e respire durante o alongamento.

ERGONOMIA:

Preste atenção! Tome cuidado!

Mais de sessenta por cento de todas as doenças relacionadas ao ambiente de trabalho são lesões causadas por esforços repetitivos que podem ser curadas se forem diagnosticadas em seus primeiros estágios. Se você sente dores constantes nas mãos, nos punhos ou nos antebraços, consulte um médico.

ERGONOMIA:

Agora, sim, você vai se sentir bem.

AO TELEFONE:

Girando o tronco

Sente-se na beira da cadeira com os pés plantados no chão. Coloque as mãos (ou uma das mãos, enquanto a outra segura o telefone) nos quadris e relaxe os ombros. Gire o tronco em círculos. Sinta o seu corpo todo, relaxe e respire fundo. Nunca fale ao telefone segurando o aparelho entre a orelha e o ombro.

AO TELEFONE:

Pés e tornozelos

Enquanto fala ao telefone, alongue suas pernas e gire seus tornozelos e pés. Observe que sua atenção aumenta quando você faz o alongamento.

Aliviando a dor de cabeça

Coloque os dedos indicadores acima e no meio de cada sobrancelha. Mantenha esta posição, pressionando com os dedos. Feche os olhos e respire profundamente.

Solução para olhos estressados

Faça vários pequenos intervalos para descansar da tela do seu computador durante seu dia de trabalho.

Lembre-se de piscar sempre, leve e rapidamente.

A cada dez minutos, olhe para fora da janela ou para outros detalhes da sala de trabalho.

Feche os olhos de hora em hora, deixando o rosto relaxar.

Gire os olhos lentamente, fazendo círculos.

Respire algumas vezes e volte ao trabalho.

Para um alívio ainda maior, esfregue as palmas das mãos rapidamente até que fiquem aquecidas e coloque-as delicadamente sobre seus olhos. Mantenha-as nessa posição até o calor se dissipar.

Rejuvenescimento facial

Funciona mesmo!

Finja que está mascando um pedaço grande de chiclete para cima e para baixo, de um lado para o outro, com a boca aberta.

Feche bem os olhos, apertando, e levante e abaixe as sobrancelhas.

Massageie suas bochechas, testa e têmporas com seus dedos e nós dos dedos.

Massageie suas sobrancelhas com as pontas dos dedos.

Certifique-se de que seus ombros estejam relaxados.

ANTES DE UMA REUNIÃO:

Exercícios para a perna

Fique de pé em frente à sua mesa mantendo uma distância atrás de você.

Apóie-se com as duas mãos e leve a perna para trás, mantendo o joelho ligeiramente dobrado.

Alongue todo o corpo e respire fundo, levando a perna lentamente de volta para o chão.

Repita o exercício e faça o mesmo com a outra perna.

Agora fique de lado para a mesa, apoiando-se com uma das mãos. Alongue a perna para o lado (figura).

Relaxe e mantenha a perna que está com o pé no chão firme, com seu corpo ereto.

Repita o procedimento com a outra perna.

ANTES DE UMA REUNIÃO:

Pose de árvore em equilíbrio

Experimente fazer este exercício antes de uma reunião ou de um encontro importante.

Tire os sapatos e fique de pé perto de uma mesa ou cadeira que possa lhe dar equilíbrio.

Levante o pé direito e coloque-o sobre a perna esquerda, na altura da coxa.

Coloque a mão direita sobre o pé se ele deslizar.

Se sentir que está firme, coloque as mãos perto do peito na posição de oração.

Sinta o outro pé bem plantado no chão.

Relaxe e respire fundo.

Fique de pé com o corpo reto e equilibrado.

Repita esse procedimento com a outra perna fazendo movimentos lentos.

"Faça algo grande, faça bem e faça-o com estilo."

Fred Astaire

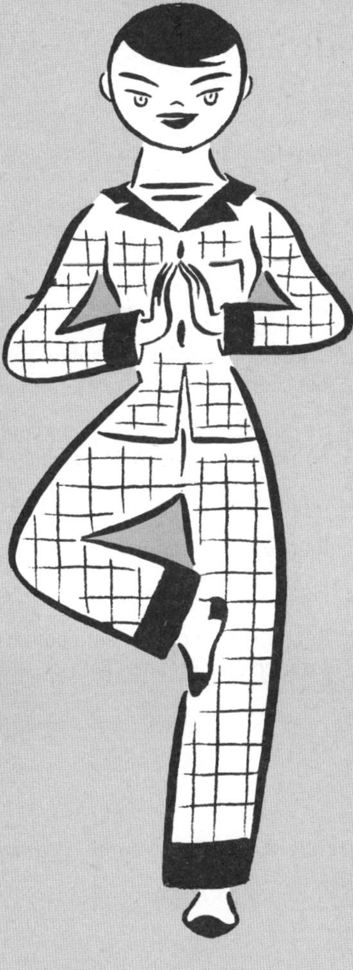

ANTES DE UMA REUNIÃO:

Posição do guerreiro ao fechar um negócio

Abra os braços para os lados com os dedos estendidos.

Dê uma grande passada para o lado, com o pé direito virado para fora e o joelho dobrado.

Mantenha o pé esquerdo plantado no chão e a perna estendida.

Seu tronco deve estar reto e firme e os ombros relaxados.

Não prenda a respiração! Relaxe durante o alongamento, soltando o corpo lentamente.

Volte para a posição de pé e repita esse procedimento com o pé esquerdo.

"Vamos devagar, porque estamos com pressa."

Mestre Zen

DEPOIS DA REUNIÃO:

Pose de boneca de pano

Descarregue tudo com esse alongamento revigorante.

Respire fundo.

Estique os braços para cima e alongue o corpo.

Expire, dobre os joelhos e deixe que as mãos tombem lentamente em direção ao chão.

Relaxe a cabeça e os ombros e vá deixando o corpo curvar-se em direção ao chão. Respire profundamente, levando o ar até o abdome.

Mantenha-se nessa posição, soltando bem o corpo durante algum tempo.

Volte bem lentamente à posição inicial, subindo com as mãos pelas pernas.

Alongamento para um bom relaxamento

Escolha um lugar tranqüilo para fazer este exercício.

Sente-se diante de uma mesa.

Incline-se com o rosto para baixo, encostando-o na mesa.

Mantenha os pés no chão.

Respire confortavelmente e relaxe.

Sinta o peso do corpo todo repousando na mesa.

Trate sua lombar com a maior gentileza.

Uma toalha ou um travesseiro sob os quadris lhe dará conforto.

Demore o tempo que for necessário e relaxe durante esse alongamento.

"Não é a resposta que esclarece, mas sim a pergunta."

Eugene Ionesco

Sua agenda sempre em dia

Tenha sempre uma lista atualizada dos seus compromissos para o dia, semana, mês e para o futuro. A organização é fundamental para o relaxamento.

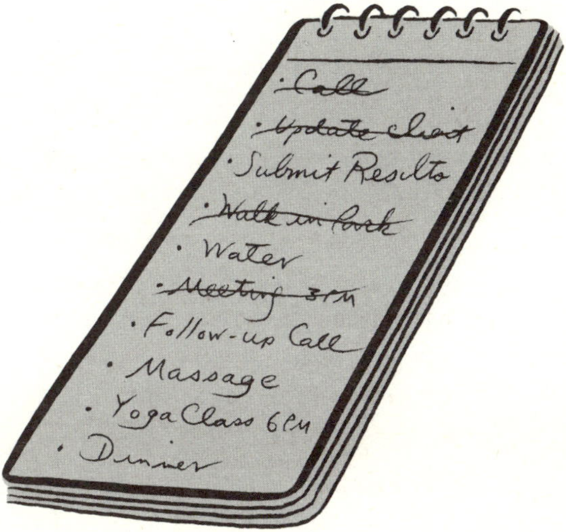

Onde foi que eu guardei aquele documento?

A desorganização estressa muitíssimo.

Arrumação geral

Mantenha suas coisas limpas e organizadas: mesa, disco rígido, pasta, carro, estantes, armários, tudo.
Você vai sentir um enorme alívio.

Pausas de relaxamento!

Marque na sua agenda! Reserve alguns momentos durante a semana para relaxar e rejuvenescer. Pode ser apenas um intervalo de cinco minutos depois de cada reunião. Ou, melhor ainda, uma hidroginástica de manhã cedo, massagem na hora do almoço, um banho morno com sais perfumados antes de dormir, ou uma caminhada em volta do quarteirão, contemplando a natureza.

Lembre-se: você trabalhará melhor e renderá muito mais se fizer isso.

"Sua juventude pode ser medida pela última vez em que você mudou de opinião."

Timothy Leary

Automassagem

Experimente a qualquer hora do dia.

Coloque as duas mãos sobre os ombros e o pescoço.

Massageie-os com os dedos e as palmas das mãos.

Esfregue a região vigorosamente.

Mantenha os ombros relaxados.

Segure um antebraço com a outra mão.

Massageie os músculos com o polegar e os dedos.

Mova as mãos para cima e para baixo, indo do cotovelo às pontas dos dedos e no sentido contrário.

Repita o exercício com o outro braço.

PARTE 3

escapadas na hora do Almoço

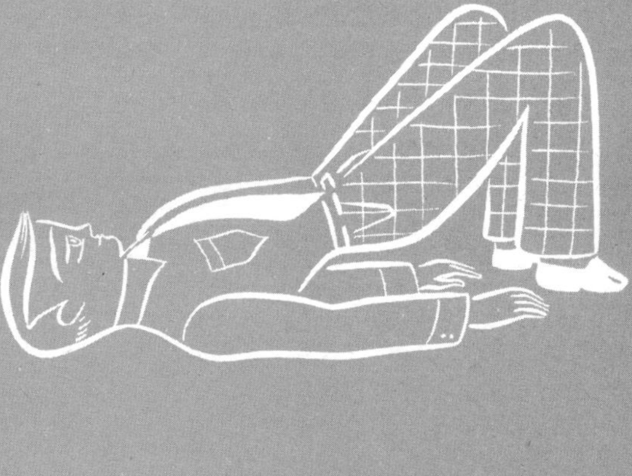

A dieta mais fácil do mundo

Você vai se sentir melhor se comer melhor.

Coma frutas ou legumes crus quando sentir fome.

Peça sempre uma salada com a refeição.

De vez em quando, faça uma dieta leve.

Evite ao máximo açúcar e cafeína.

Tome chá de ervas.

O mais importante é fazer da refeição uma espécie de meditação. Concentre-se no que está comendo, sinta o sabor. Mastigue lentamente, muitas vezes. Não engula a comida. Nada de dar telefonemas ou de digitar no computador enquanto come.

Beba!

Beba muita água durante o dia, sobretudo quando sentir cansaço. O cansaço é um sintoma comum de desidratação.

"Seu trabalho consiste em descobrir seu talento e depois, de todo o coração, dedicar-se a ele."

Buda

Pose de cobra

Se for possível, faça esses alongamentos para manter suas costas saudáveis. Aproveite a hora do almoço para fazê-los.

Cobra para iniciantes

Deite-se de bruços com os antebraços encostados no chão.

Mantenha os cotovelos abaixo dos ombros, apoiando levemente seu tronco, que deve ficar erguido.

Mantenha os quadris no chão e os glúteos contraídos para sustentar a região lombar.

Levante lentamente a cabeça e o peito.

Respire e alongue o corpo, deixando que as áreas tensas relaxem.

Mantenha-se nessa posição e respire.

Quando quiser, volte o corpo todo para o chão, bem devagar.

Repita os movimentos.

Cobra avançada

Pratique esse alongamento se o Cobra para iniciantes for muito fácil, mas passe para o próximo exercício se tiver problemas na região lombar.

Deite-se de bruços, com as mãos sob os ombros, palmas para baixo, mantendo os cotovelos para dentro.

Levante a cabeça e o peito, contraindo lentamente os músculos da região lombar.

Use a força do braço para sustentar o corpo.

Respire fundo e relaxe.

Pose do gato

Fique de quatro para começar a Pose do gato.

Gato encolhido

Levante a cabeça e deixe que toda a coluna se arqueie para baixo.

Expire enquanto deixa a cabeça tombar e curve toda a coluna para cima (figura).

Faça esses movimentos lentamente, sentindo um alongamento profundo.

Repita os movimentos.

Gato alongado

Leve lentamente seu corpo até apoiá-lo na barriga da perna, sentando sobre os calcanhares, mantendo os braços estendidos.

Solte a cabeça e o pescoço.

Respire e descanse. Sinta a região lombar relaxar.

Barriga e quadris

Deite-se de costas para começar os seguintes alongamentos para costas saudáveis.

Abdominais até a metade

Dobre as pernas e cruze os braços sobre o peito.

Respire profundamente e levante o corpo lentamente sem completar o movimento de se sentar.

Faça uma pausa e sinta o abdome se contrair.

Respire, volte para a posição inicial, descanse e repita o movimento.

Quadris erguidos

Dobre as pernas, mantendo os braços ao longo do corpo e as palmas para baixo.

Levante suavemente os quadris e mantenha o corpo nessa posição (figura).

Respire, volte para a posição inicial e repita o movimento.

Torção completa do corpo

Joelho no peito

Entrelace os dedos em torno do joelho direito.

Puxe o joelho em direção ao peito, mantendo os quadris encostados no chão.

Respire e mantenha-se nessa posição.

Volte para a posição inicial e depois repita o movimento com o joelho esquerdo.

Joelho sobre a perna

Puxe o joelho direito e leve-o até o peito.

Respire fundo e dobre suavemente o joelho direito sobre a perna esquerda.

Pressione o joelho direito para baixo com a mão esquerda.

Vire a cabeça para a direção oposta (figura).

Respire fundo várias vezes, suavemente, e relaxe o corpo todo. Mantenha os ombros encostados no chão.

Volte para a posição inicial e faça o mesmo movimento com o joelho esquerdo.

"O melhor é saber que não se sabe."

Lao-tzu

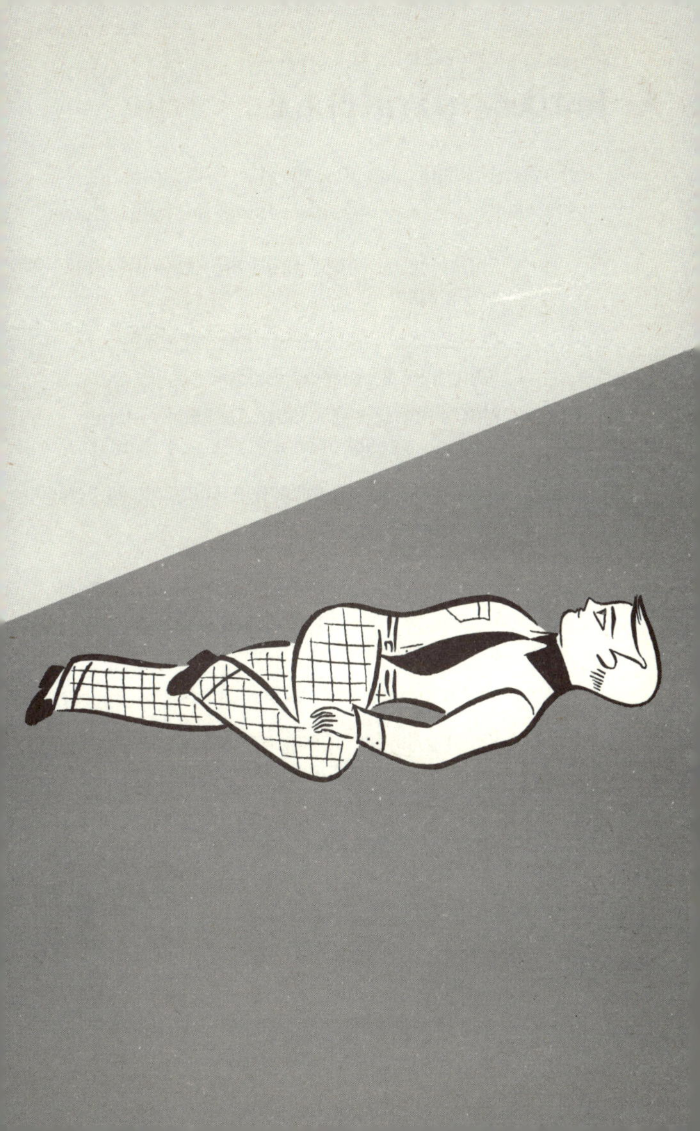

Joelhos para cima

Às vezes, os alongamentos mais fáceis são os mais eficientes.

Entrelace os dedos ou os braços em torno dos joelhos.

Puxe suavemente os joelhos até o peito, mantendo os quadris no chão.

Mantenha-se nessa posição. Respire fundo, levando a respiração até a região lombar.

Relaxe o corpo e descanse, sem sair da posição.

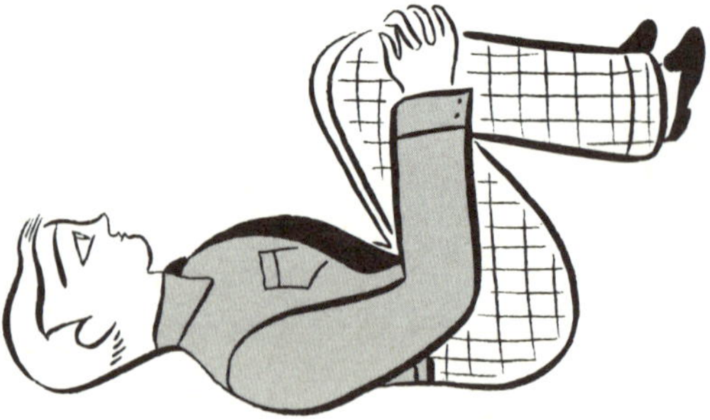

"O trabalho é o amor se concretizando."

Kahlil Gibran

Postura de criança

Este é um relaxamento suave e relaxante para sua região lombar.

Sente-se sobre a barriga da perna e descanse o tronco sobre as pernas.

Coloque os braços ao longo do corpo.

Vire o rosto para um lado ou encoste a testa no chão (figura).

Deixe o corpo relaxar e respire.

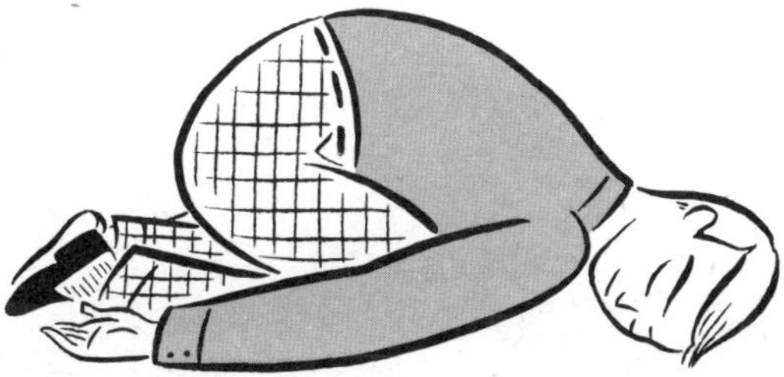

PARTE 4

recuperando a Energia

Alongamento no elevador cheio

Coloque a mão em uma parede para se apoiar.

Sustente o corpo sobre o pé esquerdo, cruze o pé direito sobre a perna esquerda um pouco acima do chão.

Sinta a sola do seu pé esquerdo firme no chão e alongue seu corpo.

Relaxe, respire e faça o mesmo movimento com a outra perna.

"Ter incertezas é desconfortável, mas ter certezas é ridículo."

Provérbio chinês

Alongamentos no elevador vazio

Coloque sua mão direita apoiada em uma parede.

Fique de pé com o corpo reto e dobre sua perna esquerda para trás.

Com a mão esquerda, segure a ponta do pé e puxe-o, levando-o até os glúteos.

Respire, mantenha-se um pouco na posição e faça o mesmo movimento com a perna direita.

Coloque as mãos nos quadris.

Com as pernas afastadas, dobre levemente os dois joelhos.

Movimente os quadris fazendo grandes círculos (figura).

Alterne o sentido do movimento e respire.

Alongamento na copiadora

Coloque as duas mãos na beira da copiadora.

Alongue seu corpo para trás e mantenha os pés afastados.

Deixe a cabeça e o peito tombarem (figura).

Respire e relaxe os ombros.

Alongamento esperando o cliente atrasado

Coloque as duas mãos nos batentes da porta na altura dos ombros e afaste os pés, mantendo-os alinhados com os quadris.

Deixe o corpo se alongar suavemente para a frente.

Relaxe a cabeça e respire.

Exercite a delicadeza amorosa

Leve um cafezinho fora de hora ao colega que trabalha ao seu lado.

Surpreenda um amigo com flores. Lembre-se dos aniversários...

"Quem está ajudando o outro não sente dor de cabeça."

Provérbio indiano

Permita-se não fazer nada sem sentir qualquer culpa

Aproveite esse momento como uma espécie de meditação.

"Viva para aprender e você aprenderá a viver."

Provérbio português

Concentre-se no momento presente

Aprenda uma boa forma de se concentrar quando sua mente estiver dispersa.

Respirando por narinas alternadas

Usando a mão direita, coloque o polegar sobre sua narina direita.

Inspire profundamente pela narina esquerda.

Prenda a respiração e feche a narina esquerda com o dedo indicador.

Solte o polegar direito e expire devagar pela narina direita.

Repita o movimento, inspirando pela narina direita e expirando pela narina esquerda.

Deixe que cada respiração vá se tornando mais demorada. Sinta a calma e o equilíbrio que este exercício produz.

Simplifique sua vida

Dê um passo de cada vez, respire e relaxe.

"A paciência é a companheira da sabedoria."

Santo Agostinho

Energize-se a qualquer momento

Sacuda os braços e as mãos.

Sacuda as pernas e os pés, um de cada vez.

Faça círculos amplos com os braços – para cima, em torno do corpo e de um lado para o outro.

Mude a direção.

Sacuda o corpo todo até sentir que ele está solto.

Levante os dois braços acima da cabeça.

Segure o pulso esquerdo com sua mão direita e puxe o braço suavemente para a direita (figura).

Respire durante o alongamento.

Mantenha o corpo reto e firme.

Repita o movimento com o pulso direito.

"Um ato de bondade, por menor que seja, nunca é desperdiçado."

Esopo

Mãos atrás das costas

Entrelace os dedos atrás das costas.

Curve-se suavemente para a frente.

Alongue as mãos e os braços para cima e para trás.

Respire enquanto alonga.

Solte os braços suavemente.

Com os punhos, dê pequenas batidas na região lombar e nas pernas.

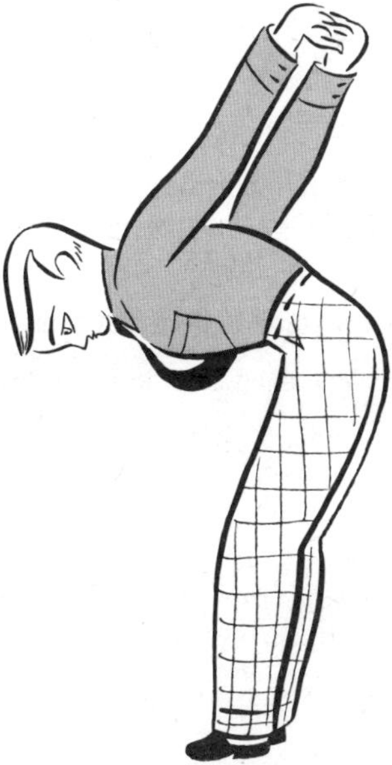

Alongamento em poucos minutos

Levante o pé direito e coloque-o sobre uma mesa ou escrivaninha.

Vire o pé que está sustentando o corpo para o lado, para ter equilíbrio.

Alongue o corpo estendendo-o sobre a perna, colocando as mãos sobre sua perna ou sobre a mesa.

Relaxe a cabeça. Respire e mantenha o alongamento.

Flexione o pé e respire.

Relaxe o pé e respire.

Repita o movimento com a perna esquerda.

Agachamento fortalecedor

Coloque a mão em uma cadeira para se apoiar.

Mantendo as costas eretas, vá dobrando os joelhos, abaixando lentamente o corpo. Depois, levante-se.

Faça esse movimento diversas vezes, devagar, respirando ritmadamente.

Tente fazer esse agachamento com os pés firmes no chão ou com os calcanhares levantados.

"No momento em que desejamos ser algo, perdemos nossa liberdade."

Krishnamurti

Oh, meu Deus, eu não vou conseguir nunca!

Faça uma pausa, dê uma caminhada, respire fundo algumas vezes, pense nas pessoas que gostam de você e repita: "Calma, eu vou encontrar a solução." E não se esqueça de pedir ajuda.

"A estrada para cima e a estrada para baixo são uma só."

Heráclito

Relaxamento vespertino

As costas estão doendo? As pernas estão cansadas? A cabeça está a mil?

Descubra um local silencioso perto de uma cadeira ou parede.

Deite-se de costas no chão e coloque as pernas para cima.

Respire.

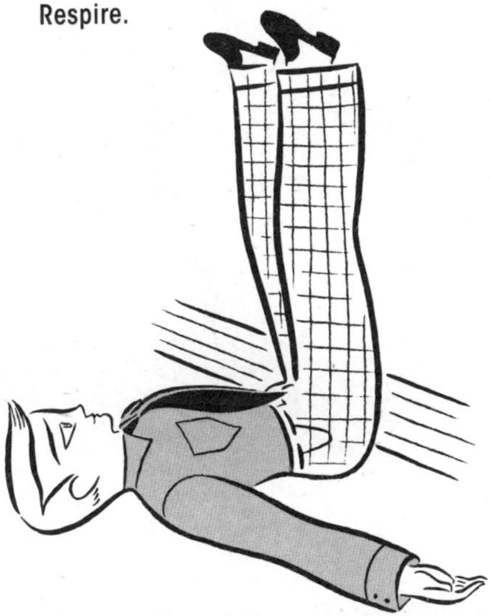

Caminhada energizante

Relaxe e renove sua energia.

Saia do escritório.

Ande vigorosamente durante dez minutos.

Concentre-se na sua respiração.

Observe as pessoas e a natureza a seu redor.

"Uma jornada de mil quilômetros deve começar com um único passo."

Lao-tzu

Alongamentos para "agüentar firme"

Dança na cadeira

Entrelace os dedos atrás do joelho.

Dobre a perna e levante-a.

Leve a testa até o joelho.

Faça o mesmo movimento com a outra perna.

Torção da coluna

Na posição sentada, cruze a perna esquerda sobre a direita.

Coloque a mão direita ou o cotovelo sobre o joelho cruzado.

Vire suavemente seu corpo para a esquerda e olhe para trás (figura).

Alterne as pernas e vire-se para o lado oposto.

Coloque tudo para fora

Quando o expediente terminar, libere toda a tensão.

Na posição sentada, levante as mãos em direção ao teto.

Respire profundamente e relaxe totalmente durante a expiração.

Deixe os braços e o tronco tombarem em direção ao chão, como se você fosse um boneco de pano.

A postura do leão só pode ser feita se o escritório estiver vazio! Caso contrário, faça-a em casa:

Respire fundo e dê um rugido o mais alto possível. Sinta o som saindo de sua barriga e abra a boca o máximo que puder.

"Aquele que conhece os outros é sábio. Aquele que conhece a si mesmo é iluminado."

Lao-tzu

FIM DE EXPEDIENTE:

Meditação com respiração

Coloque uma das mãos sobre a barriga.

Respire devagar e profundamente.

Sinta sua mão subir e descer.

Deixe que os ombros caiam.

Sinta seu corpo relaxar e se renovar.

PARTE 5

relaxamento para um bom Sono

1.

2.

Relaxamento chegando em casa

Dance e se libere

Coloque sua música predileta e solte-se completamente durante dois a cinco minutos. Dance à vontade e movimente o corpo todo, aproveitando para alongar. Procure relaxar, liberando tudo o que ficou acumulado durante o dia.

Descanse e relaxe

Deite-se de costas e deixe que seus pensamentos vaguem livremente. Fique em uma posição confortável e, se preferir, coloque um travesseiro debaixo dos joelhos. Respire devagar, várias vezes, soltando um som ao expirar. Imagine seu corpo afundando no chão. Relaxe os pontos mais tensos, tranqüilize sua mente, sinta-se em paz.

Ioga para os preguiçosos

Diante da televisão

Sente-se no chão.

Dobre as pernas e junte as solas dos pés, perto do corpo.

Segure os pés com as mãos e abaixe suavemente os joelhos.

Levante o peito e respire.

Lendo jornal

Sente-se no chão.

Abra as pernas e alongue-as, mantendo-as retas e bem afastadas.

Vá descendo lentamente com as mãos pelas pernas.

Levante o peito suavemente.

Respire algumas vezes, depois deixe a cabeça tombar e caírem os ombros (figura).

Respire e relaxe.

"Valorize o que está dentro de você."

Chuang-tzu

Tome um banho

Para relaxar e recuperar as energias, tome um bom banho prolongado. Encha a banheira de água quente, coloque uma música tranqüila, acenda velas. Use óleos e sais de banho.

"É necessário muito tempo para se adquirir juventude."

Pablo Picasso

Durma bem

Você não consegue dormir? Faça uma caminhada antes de ir para a cama. Tome um chá de ervas. Coloque um CD de meditação relaxante. Ouça uma música suave ou os sons da natureza.

"A recompensa é a jornada."

Ditado Tao

Estágio final

NIRVANA NO ESCRITÓRIO

Biografias

Darrin Zeer pratica e ensina ioga há mais de doze anos. Passou muitos anos na Ásia, viajando e estudando diversas artes de cura orientais, meditação e fisioterapias, assim como diversas formas de ioga.

Darrin participa há seis anos do "Miracle of Love", um *workshop* intensivo de nove dias que reúne cerca de oitenta participantes de todo o mundo todos os meses.

Atualmente, Darrin atende pessoas e grupos nas áreas de Los Angeles e San Diego. Seu objetivo é ajudar as pessoas a terem mais paz e alegria em seu corpo e também ensinar métodos simples para aliviar o estresse no trabalho e em casa.

Se você ou sua empresa quiserem entrar em contato com Darrin, visitem: **www.relaxyoga.com.**

Michael Klein é ilustrador premiado que mora perto de Nova York. Suas ilustrações apareceram em diversas publicações, inclusive no *The New York Times, Newsweek, Forbes* e *Natural Health.* Seu trabalho também foi publicado em *The Working Stiff Cookbook,* publicado pela Chronicle Books.

INFORMAÇÕES SOBRE OS PRÓXIMOS LANÇAMENTOS

Para receber informações sobre os próximos lançamentos da EDITORA SEXTANTE, queira entrar em contato com nossa Central de Atendimento, dando seu nome, endereço e telefone para:

EDITORA SEXTANTE
Rua Voluntários da Pátria, 45 – Gr. 1404 – Botafogo
22270-000 – Rio de Janeiro – RJ
Tel.: (21) 2286-9944 – Fax: (21) 2286-9244
DDG: 0800-22-6306 (ligação gratuita)
E-mail: atendimento@esextante.com.br

Para saber mais sobre nossos títulos e autores, e enviar seus comentários sobre este livro, visite o nosso *site:*

www.esextante.com.br